글·그림 홍끼

3

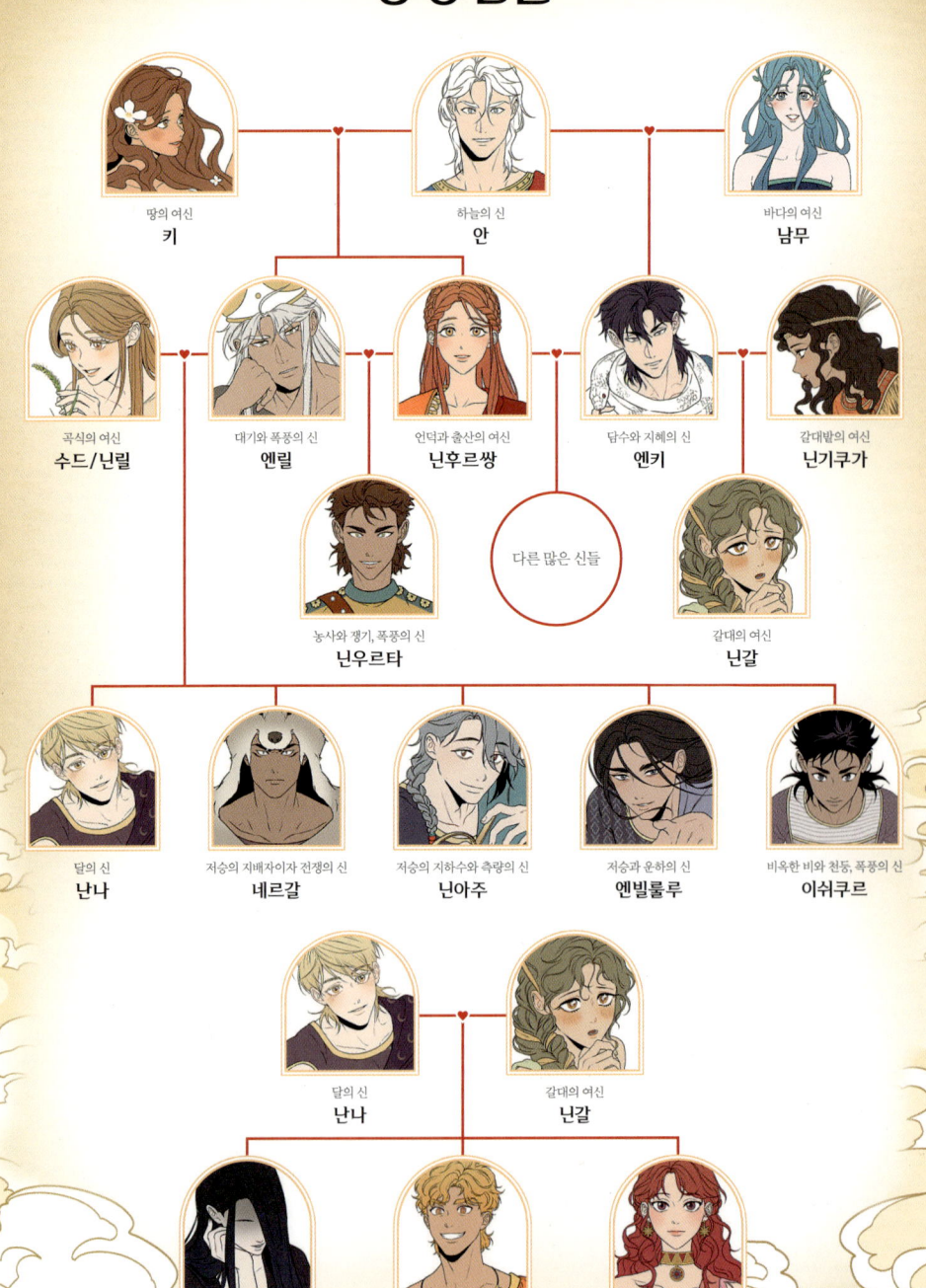

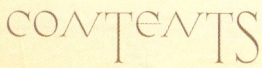

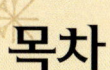

22화	홍수 신화 Ⅰ	………	005
23화	홍수 신화 Ⅱ	………	025
24화	홍수 신화 Ⅲ	………	041
25화	인안나와 메 Ⅰ	………	061
26화	인안나와 메 Ⅱ	………	077
27화	길가메시와 엔키두 Ⅰ	………	093
28화	길가메시와 엔키두 Ⅱ	………	107
29화	길가메시와 엔키두 Ⅲ	………	123
30화	길가메시와 엔키두 Ⅳ	………	139
31화	길가메시와 엔키두 Ⅴ	………	155
32화	길가메시와 후와와 Ⅰ	………	173
33화	길가메시와 후와와 Ⅱ	………	187
34화	길가메시와 후와와 Ⅲ	………	203
35화	길가메시와 후와와 Ⅳ	………	221

일러두기

본 만화는 메소포타미아 신화를 바탕으로 각색·재구성한 것으로, 실제 신화 기록과 다른 점이 있습니다.

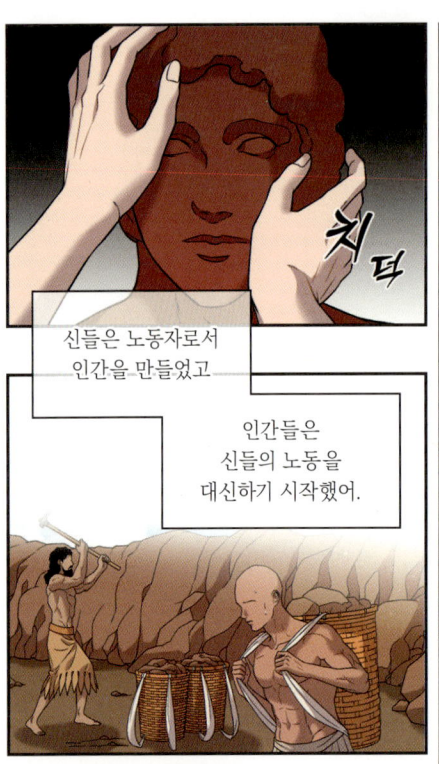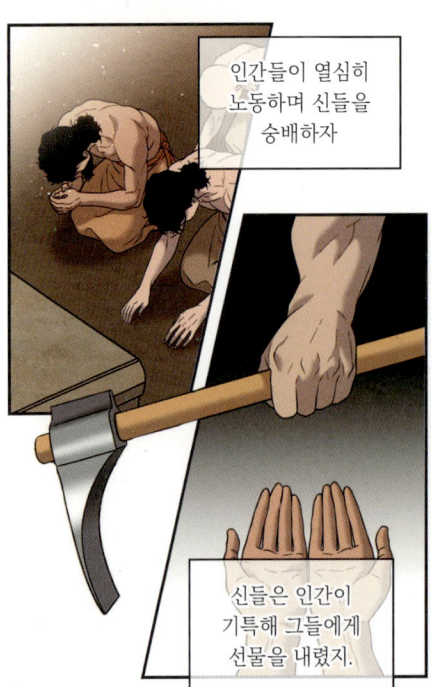

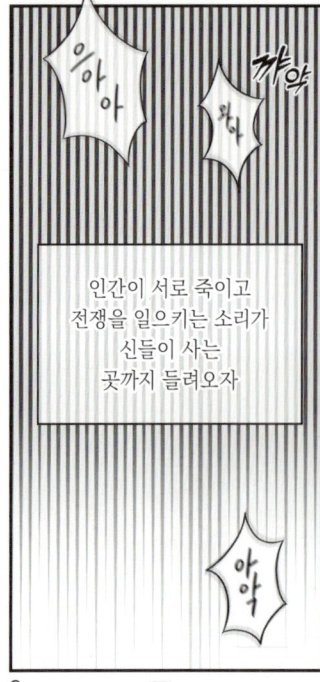

인간이 서로 죽이고 전쟁을 일으키는 소리가 신들이 사는 곳까지 들려오자

엔릴은 신경쇠약에 시달리게 되었어.

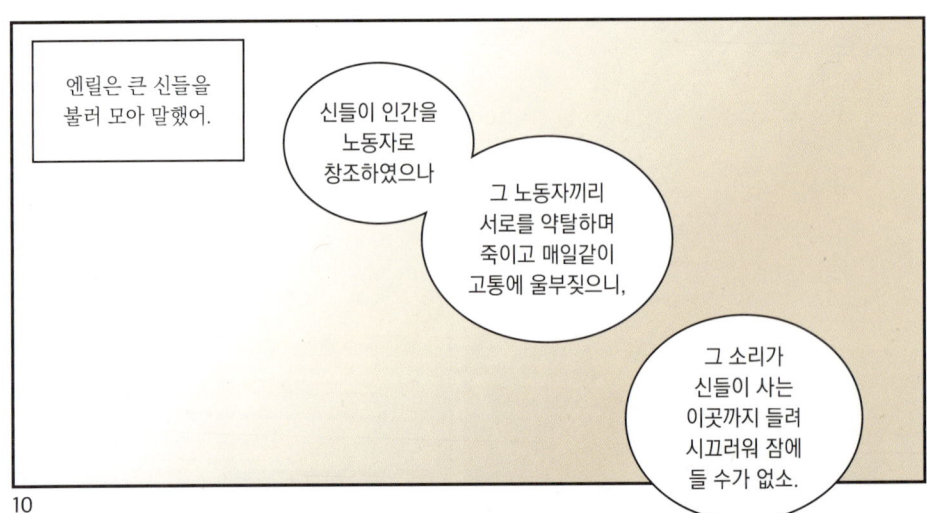

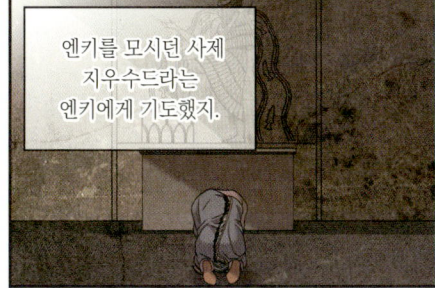

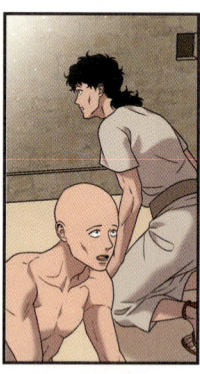

그만 부끄러워져 역병의 손을 거두고 말았어.

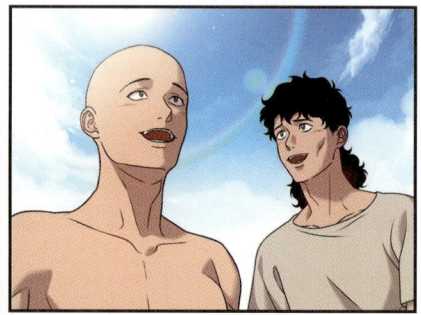

역병이 물러가자 다시 시간이 지나 인간의 수는 불어났고

엔릴은 또다시 잠을 이룰 수 없었지.

엔릴은 비옥한 비와 천둥, 폭풍우의 신 이쉬쿠르를 불러 명령했어.

땅 위의 인간들에게 비옥한 비를 거두어 기근의 고통을 보여주거라.

이쉬쿠르의 먹구름이 하늘에서 사라지자

지독한 가뭄이 몰려오기 시작했지.

아아, 신이시여….

가뭄으로 인해 농작물은 자라지 못했고

끔찍한 기근이 인간을 덮쳤어.

굶어 죽은 인간들이 너무 많아 길가에 시체가 널브러져 있었지.

비옥한 비가 땅을 적시자

기근으로 굶어 죽어가는 와중에도 나에게 제물을 바치다니…!

농작물이 자라 기근이 사라졌고

다시 인간의 수가 불어나기 시작했지.

"인간들은 노동의 본분을 잊고 날뛰며 서로 죽이고 죄악을 행하고 있소!"

"그들이 검을 뽑으면 도시와 마을이 사라지기 다반사요,"

"지난 자리에는 시체를 뜯는 들짐승이 즐비한 것을 모두 지켜보지 않았소!"

"노동자라…?"

"노동자들이 서로 죽고 죽이며 내는 함성과 비명이 신들이 사는 곳까지 닿으며"

"땅 위는 그들이 흘린 피가 붉은 융단을 만들고 있소."

"인간을 멸하는 것은 하늘의 신 안조차 허락하신 일이니"

"절대 인간을 돕지 않겠다 모두 약조하시오."

"만일 인간을 돕는 신이 있다면 그 행위를 반역으로 간주하겠소!"

"신들이 노동을 명하였지, 언제 서로 죽이라 하였소?"

하하!

이제야 지긋지긋한 함성과 비명에서 해방될 수 있겠군.

…나 또한 약조하겠소.

곧 폭풍우가 시작될 것이오.

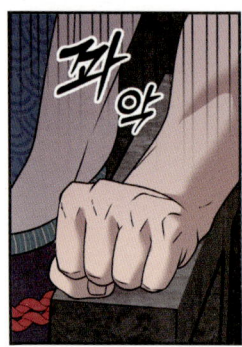

이제껏 인간들의 숭배와 제물을 받아 생활하던 신들이

어찌 그들을 매몰차게 버릴 수가 있는가…!

이번에도 인간을 도우려 한다면

혼자서 신들의 결정을 어겼다는 이유를 들어 나를 처벌하려 할 것인데….

그렇다면….

"그들에게 이렇게 말하거라."

"땅 위의 지배자인 엔릴이 인간에게 적개심을 품었으니"

"이제 인간은 엔릴의 영토인 땅 위에 발을 들여놓을 수 없게 되었다."

지우수드라는 날이 밝자 사람들에게 이 소식을 전했고

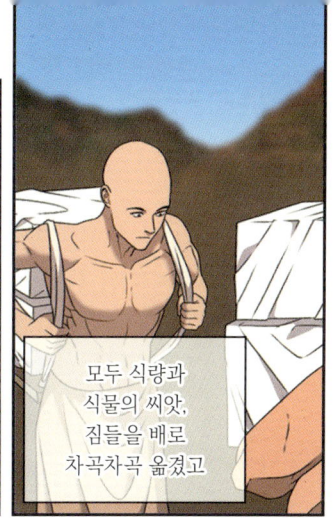

끼익!

지우수드라는 거대한 배의 입구를 봉쇄했어.

나의 아들들아, 시간이 됐구나.

대홍수가 땅 위를
뒤덮기 시작했어.

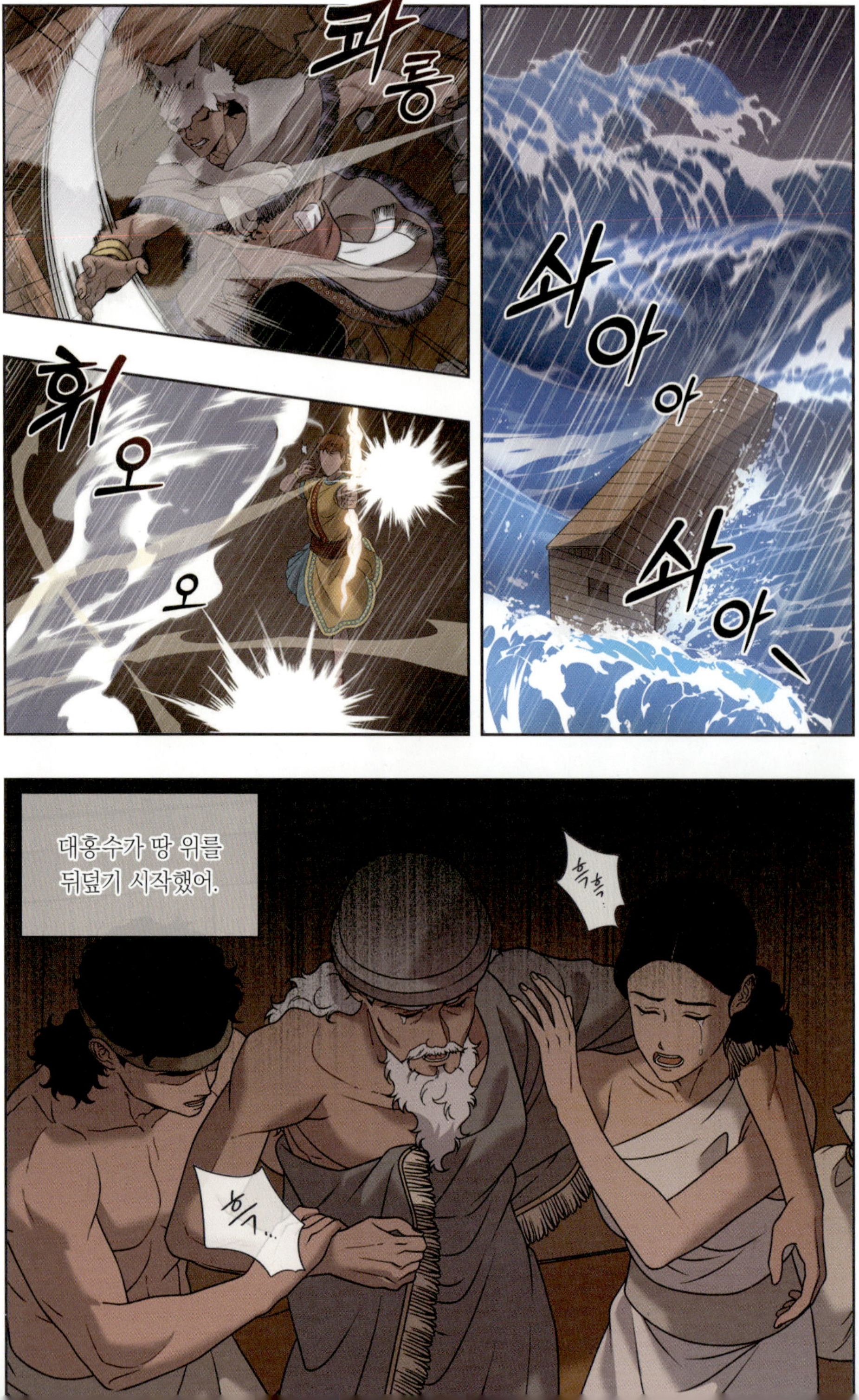

인간의 멸망을 바란 것이 당신인데도

당신께 제물을 바치며 기도하는 저 인간들을 보시오.

그들을 가엾게 여기면 앞으로는 당신이 홍수를 일으키는 대신에

사자와 늑대가 나서 그들의 수를 줄일 것이고,

기근과 전염병이 일어나 그들의 수가 또 줄어들 거요,

새로 만들어지는 인간은 전과 달라 완전하지 않으니

아이를 가질 수 없는 여자와

세상에 태어나 일찍 세상을 등지는 아이가 많아질 것이오.

지우수드라와 그의 부인은 엔릴의 처벌을 기다렸고

고개를 들라.

너희는 인간이었으나 신처럼 영생을 부여받았으니

내 너희를 딜문에 살게 할 것이다.

남편의 벌을 저도 함께 받겠습니다.

인간의
창조주이자

지배자이신
엔키 신이시여!

인간의
아버지시여!

엔릴은
숨 쉬는
대기요,

땅 위에 날씨를
만들고 계절이
생겨나게 하여

때로는 풍요를,
때로는 자연재해를 일으켜
땅 위를 지배했지만

엔키는
생명의 근원으로

인간을 만들고
인간에게 지혜를 나누어
인간의 지배자로 여겨졌지.

…내가 무엇에
얽매여 있었던가!

그리고
이 모든 것을
넘보는

가장 강력한
여신이 있었어.

홍끼의 Hongkki's Mesopotamian Mythology
메소포타미아 신화

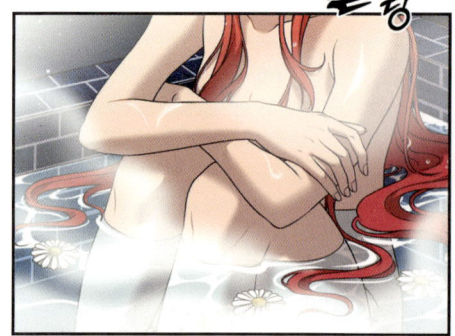

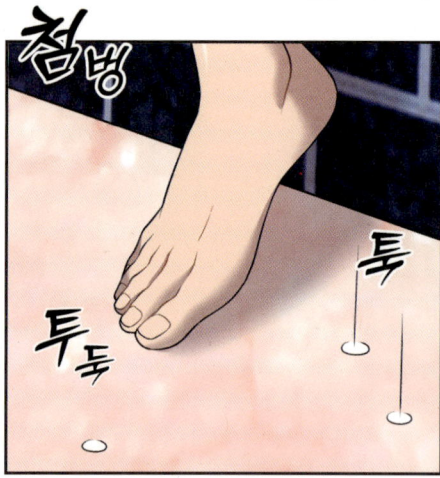

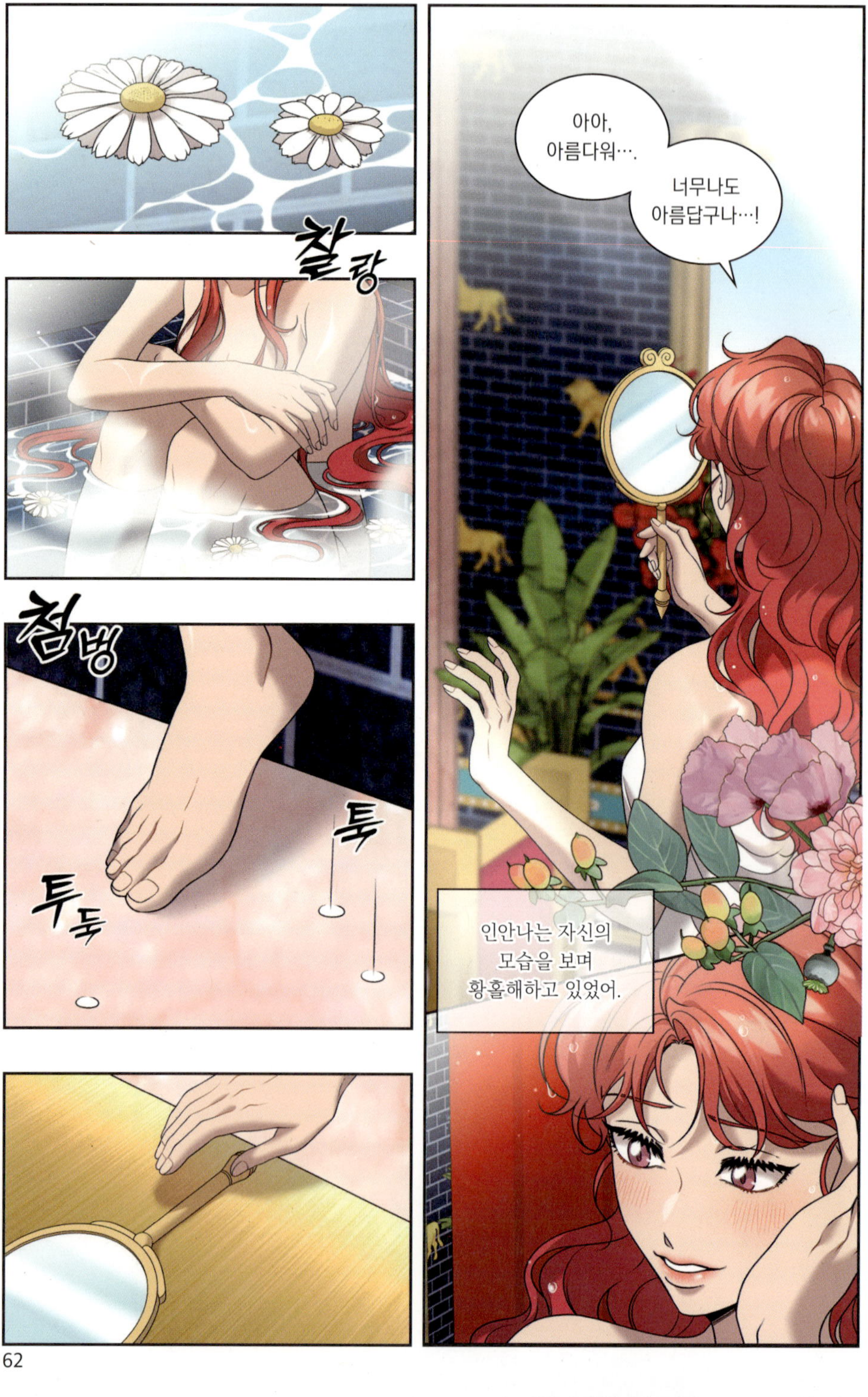

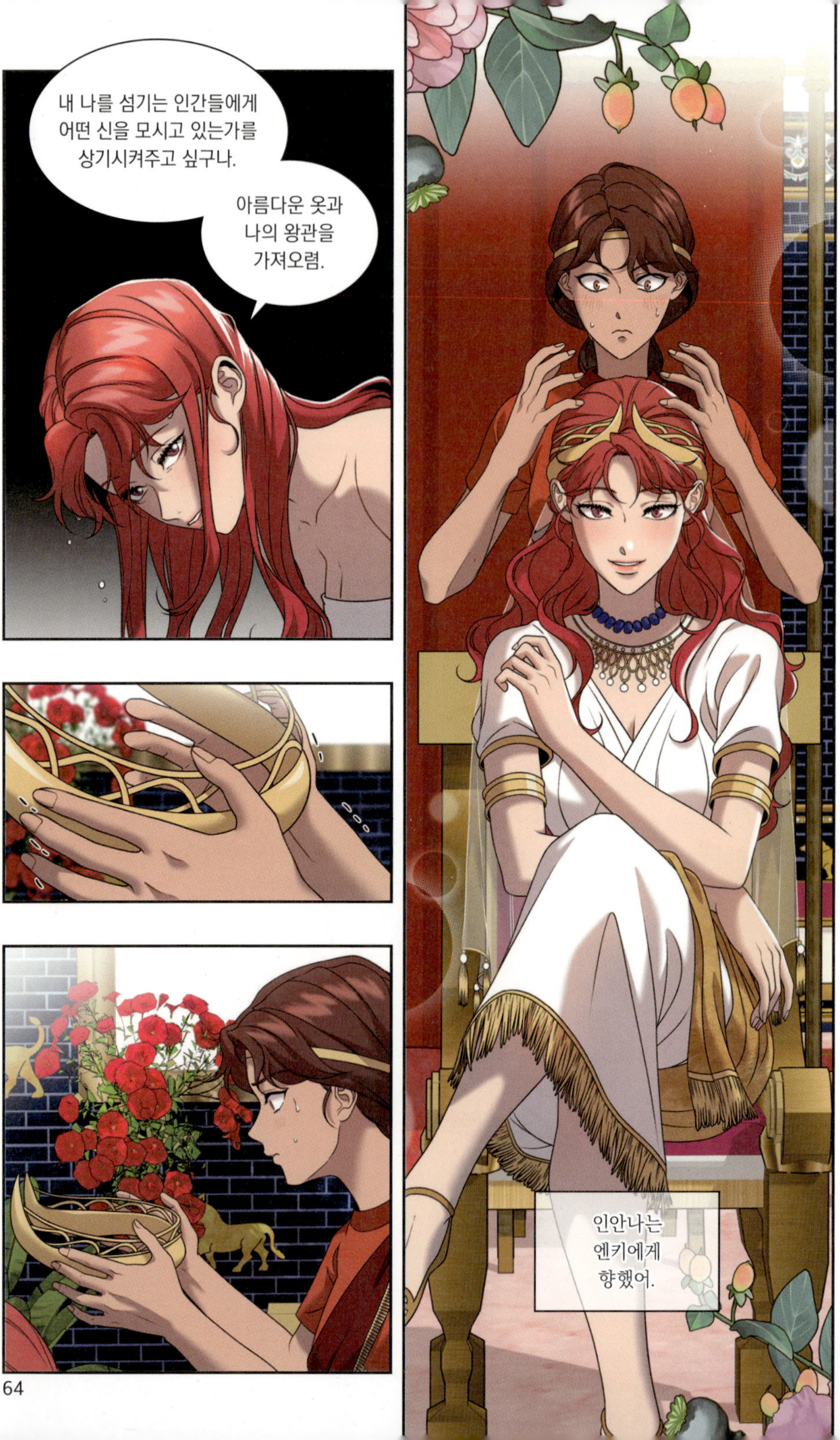

내 나를 섬기는 인간들에게 어떤 신을 모시고 있는가를 상기시켜주고 싶구나.

아름다운 옷과 나의 왕관을 가져오렴.

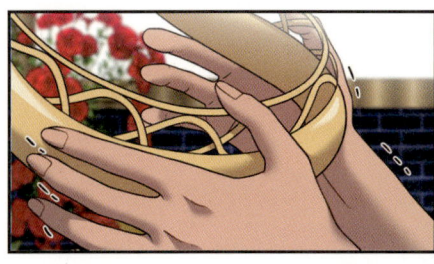

인안나는 엔키에게 향했어.

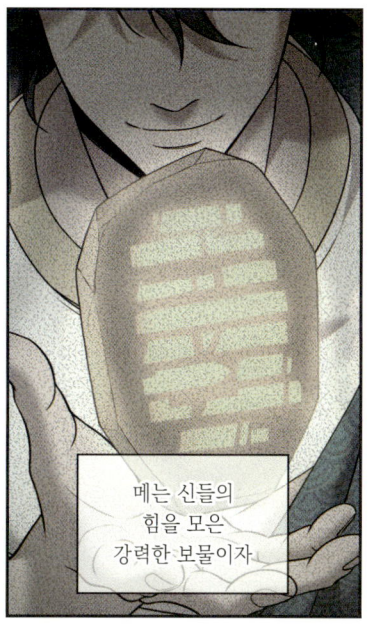

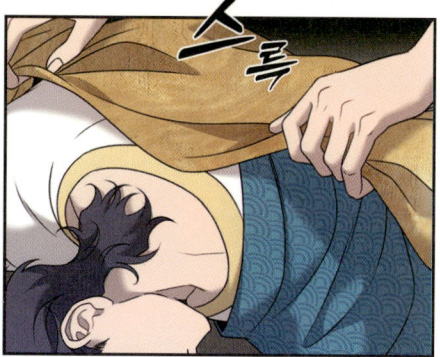
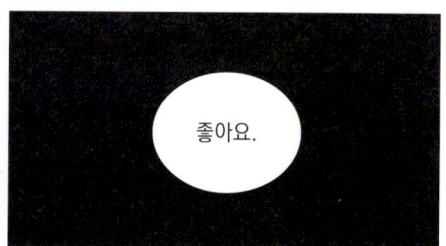

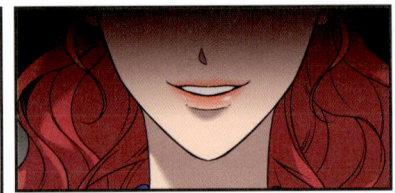

인안나는 이미
엔키의 영역을
빠져나간 뒤였지만

누구보다
발걸음이 빠른
전령 이시무드는

금방 인안나를
뒤쫓았어.

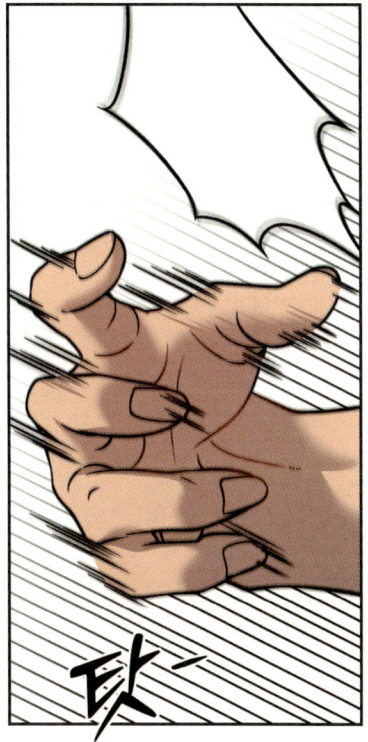

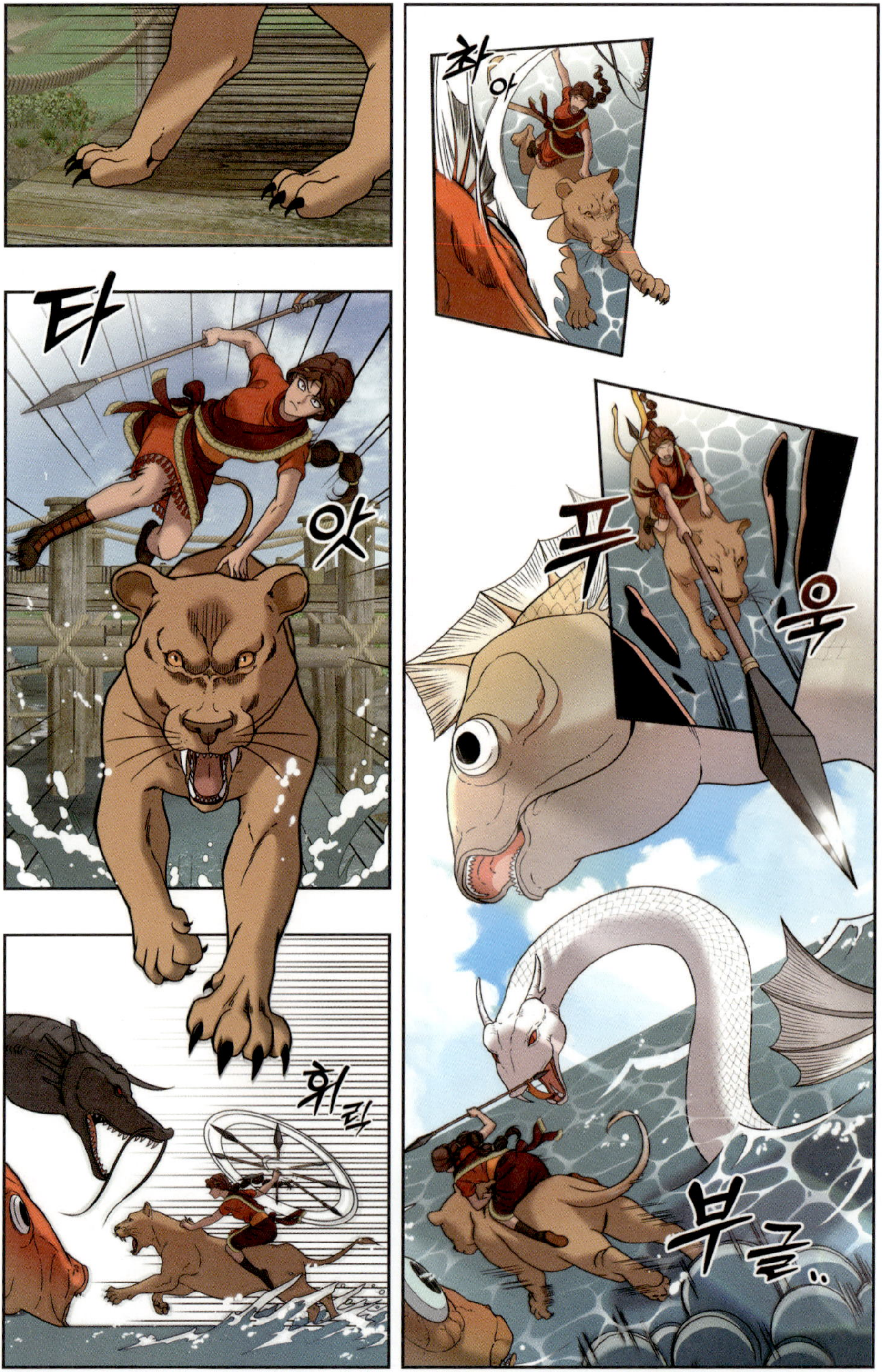

촤

핑

아

내 너에게 어떤 물도 닿지 않게 하겠다 하지 않았느냐.

이크…!

나를 믿고 전진하거라.

닌슈부르와 인안나가
엔키가 보낸 거대한
물고기들을 모두 해치우자

엔키는 거인
50명을 또 보냈고

지하수로부터 올라온 강의 정령 50명을 추가로 또 보냈지.

하지만 닌슈부르와 인안나는 엔키가 보낸 거인과 강의 정령까지 모두 해치웠어.

"히익…!"

인안나는 결국 엔키의 메를

인안나를 섬기는 도시 우루크까지 무사히 가져왔어.

"인안나 님께서는 우루크에 위대한 신물인 메를 가져오셨습니다!"

"이제 우루크에는 기쁨만이 있을 것입니다!"

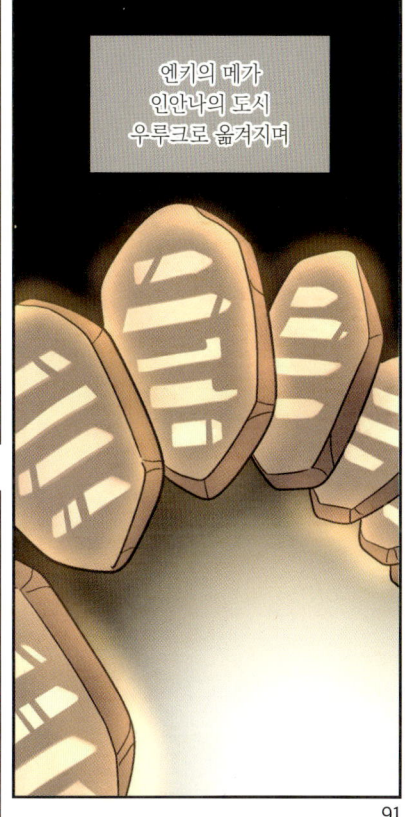

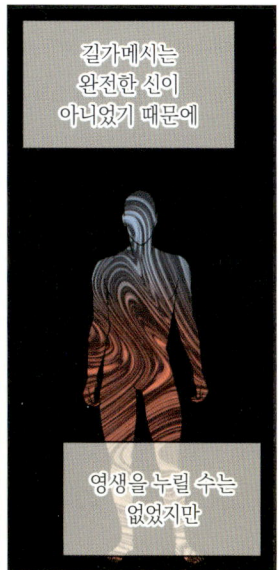

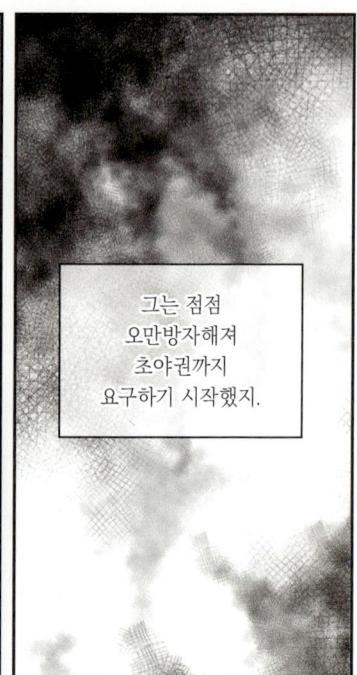

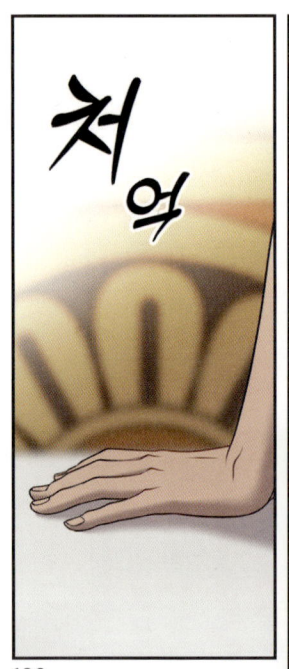

너의 이름은 엔키두란다.

길가메시의 대척점에 선 자여.

엔키두는 가젤과 함께 물을 마시고

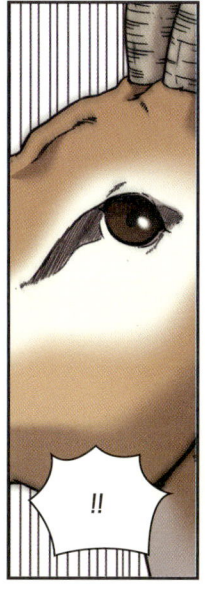

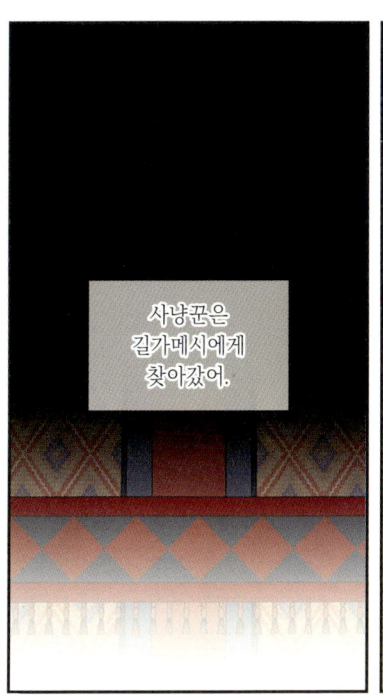

죽음 따위가 뭐가 두렵다고 그러는 건지….

후

여봐라.

예, 왕이시여.

신전의 여사제 샴하트를 데려오거라.

잠시 후 신하는 샴하트를 데려왔고

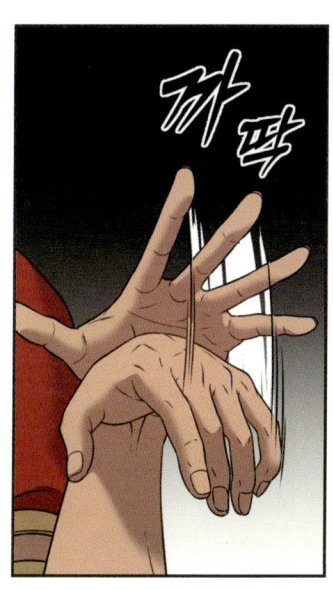

길가메시는 그녀에게 무언가 속삭였어.

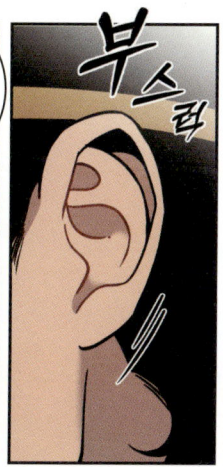

스륵

엔키두는 처음으로
향유 냄새를 맡았어.

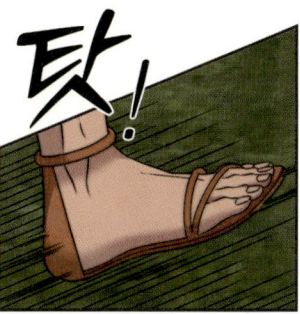

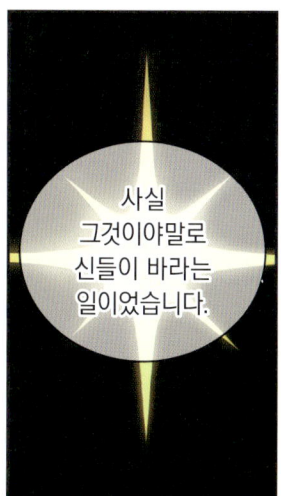

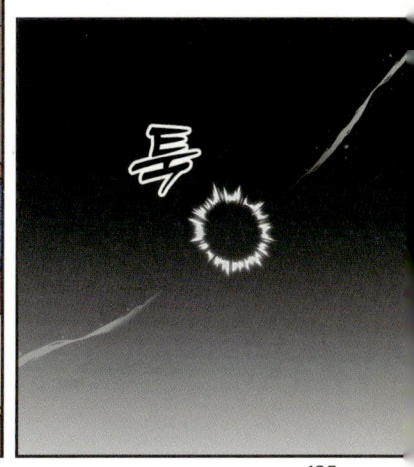

…알지 않소,
우루크는 길가메시 왕이
강제하는 이상한 풍습으로

혼례를 치르는 여자가
길가메시와 우선
첫날밤을 보내야
한다는 것을 말이오.

…지, 지금 그게
무슨 말이오?

나의 아들과 아내 될
여인에게 근심이 가득하니
나 또한 마음이
편하지 않소이다.

엔키두는 신혼집의
문 앞을 막아서고
길가메시를 기다렸어.

웅
성..

웅
성..

잠시 후 저 멀리서
초야권을 행사하러 오는

길가메시가
보이기 시작했지.

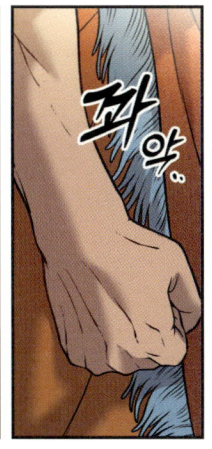

우루크 한복판에
떨어진 그 별을

몹시 놀라
별을 쫓아
내달렸더니

백성들이 모여
구경하며 찬사를
내뱉고 있었습니다.

가까이 가보니
그 별이 분명
신들과 같은 기운을
내뿜고 있어

저는 그 별을
들고 옮기려 했지만
너무 무거워 꿈쩍도
하지 않았습니다.

어머니는 그 별을 제 형제로 만들어주셨습니다.

어머니는 이 꿈이 무슨 뜻인지 알 수 있겠습니까?

음… 그래.

하늘의 별이 우루크로 떨어졌다는 건

신들이 너에게 어떤 존재를 보냈다는 것이란다.

하! 말도 안 되는 해몽입니다, 어머니.
신들이 괴물을 보낸 이유는 저를 해하려 하는 것이 뻔하지요.
벌떡
그런 말이나 하실 거라면 이만 가보겠습니다.
웅성
웅성

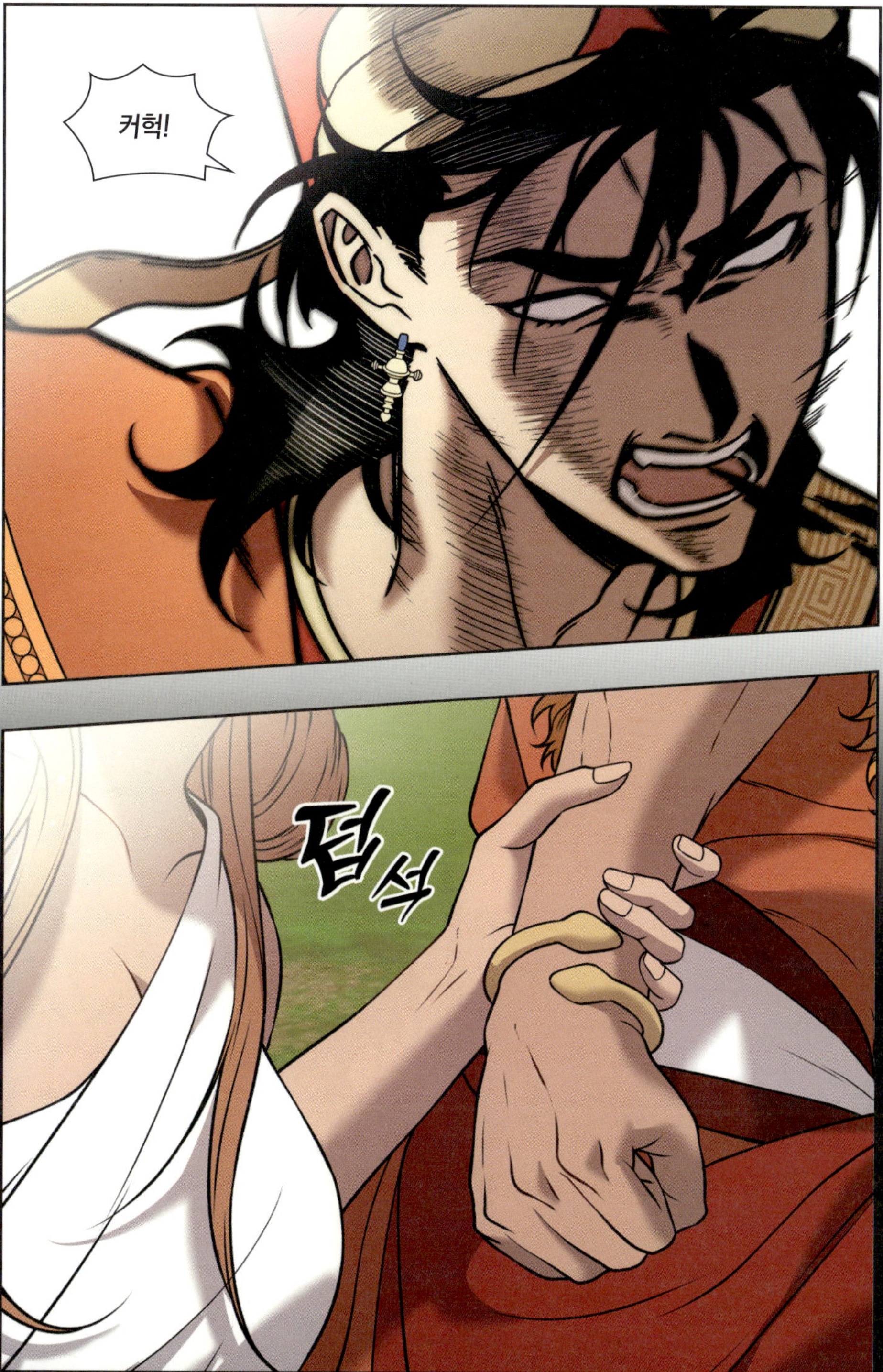
커헉!
텁석

길가메시는 처음으로 통증을 느꼈어.

뜻대로 되지 않아 힘이 부쳐오는 일은 처음이었지.

이런 기분이었나…!

3분의 2가 신, 3분의 1이 인간인 길가메시는

인간을 초월한 존재였거든.

웅성..

왕자님 혼자서 모두를 무찌르셨습니다…!

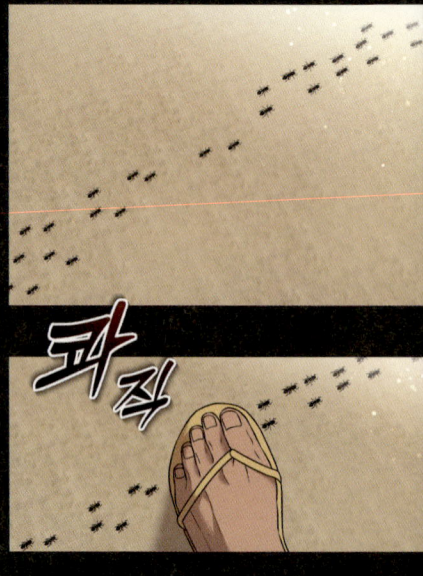

지루해…
약해빠진 것들.

그런 길가메시의 앞에
동등하게 힘을 겨룰
상대가 나타난 거야.

기나긴 싸움 끝에
길가메시의 무릎이
먼저 땅에 닿았어.

…괴물이 따로 없구나.

당신 또한 그렇소. 괴물 같은 힘이군.

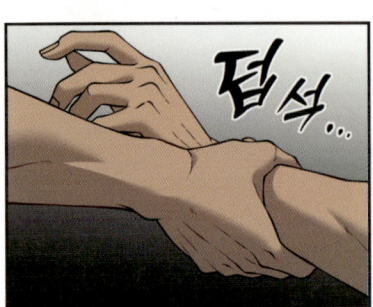

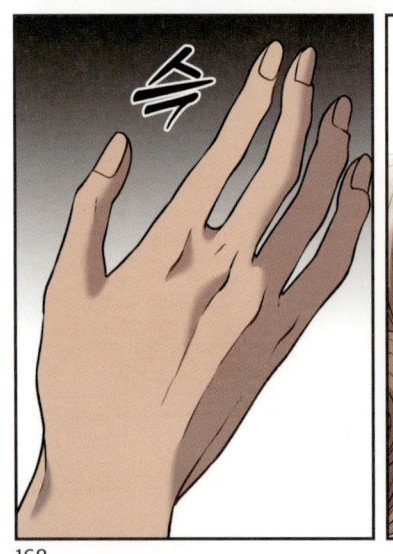

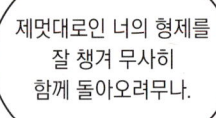

길가메시와 엔키두는 사흘 동안 머나먼 길을 걷고 또 걸었어.

긴 여정에 지친 길가메시는 잠시 잠에 들고 말았지.

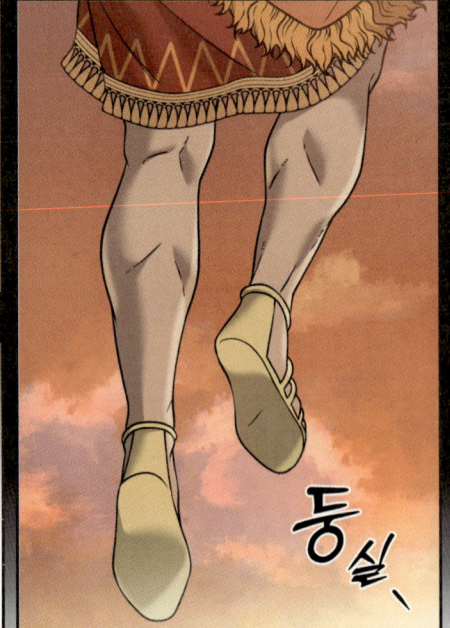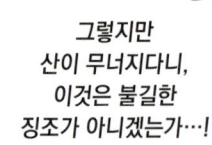

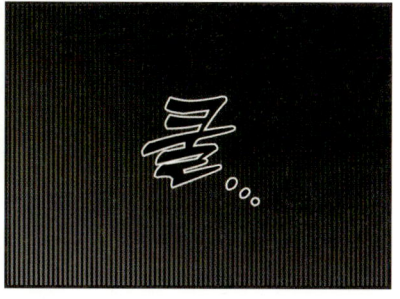

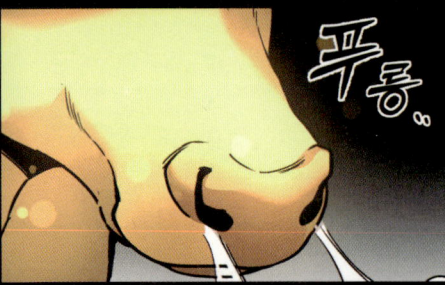

태양신께서 우리의 앞으로 내려와

신이 가진 강력한 힘을 보여주실 거라네.

새벽의 장막이 걷히며 둘은 자리에서 일어났고

삼목산으로 들어갈 채비를 마쳤어.

삼목산은 거대한 삼나무가 빼곡하게 자라고 있어

본 적 없는 풍경을 자아내고 있었어.

이렇게 많은 목재들이라니,

신전을 거대하게 짓고 침대와 가구들을 궁전 안에 가득 채울 수도 있겠네!

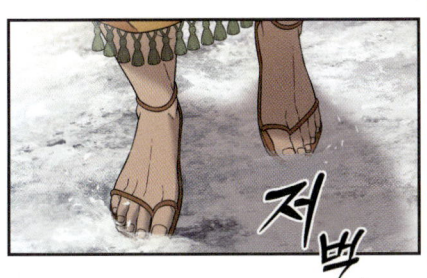

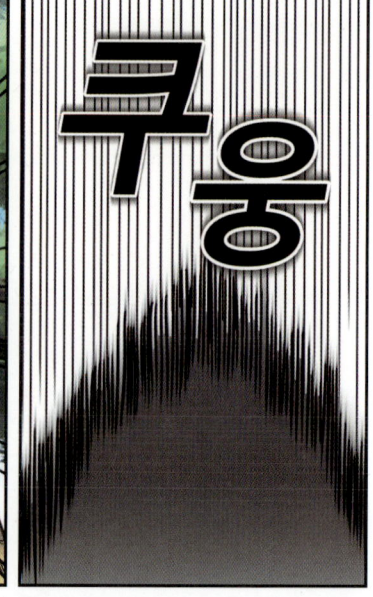

커흑…!

태양신 우투는 길가메시와 엔키두에게 열세 가지의 돌풍을 보냈어.

내가 너희를 돕겠다.

아아, 이 힘은!

감사합니다, 우투 신이시여!

좋아, 이거라면 저 두꺼운 비늘을 꿰뚫고 후와와를 벨 수 있겠네!

내가 앞을 맡을 테니 자네는 뒤를 노리게!

예리한 바람이 도끼를 감쌌고

동풍과 남풍, 서풍과 북풍이

사방에서 후와와를 옴짝달싹할 수 없게 만들었지.

돌풍이 포효하며 후와와에게 달려들었으며

이 힘은 분명 신들의…!

먼지바람이 후와와의 시야를 가렸어.

윽…!

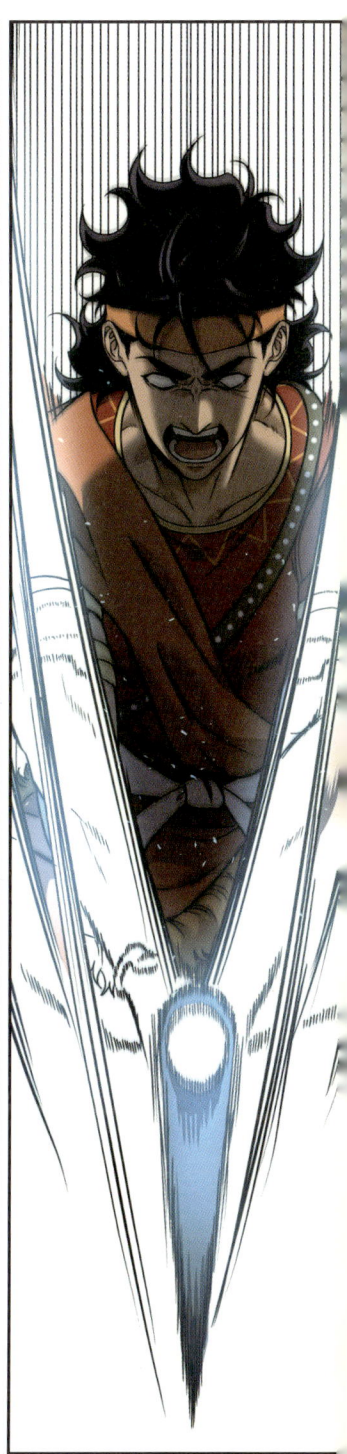

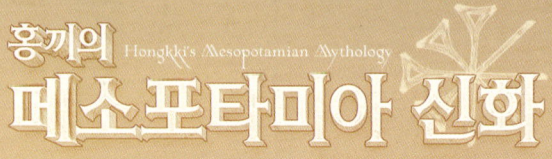

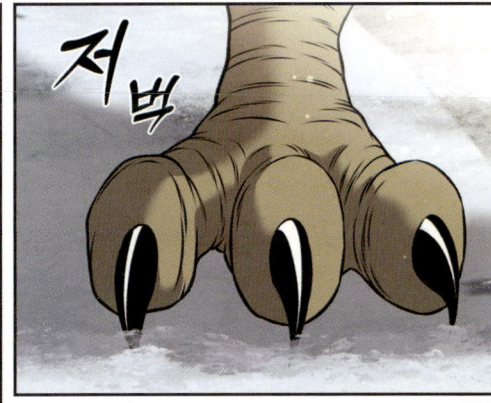

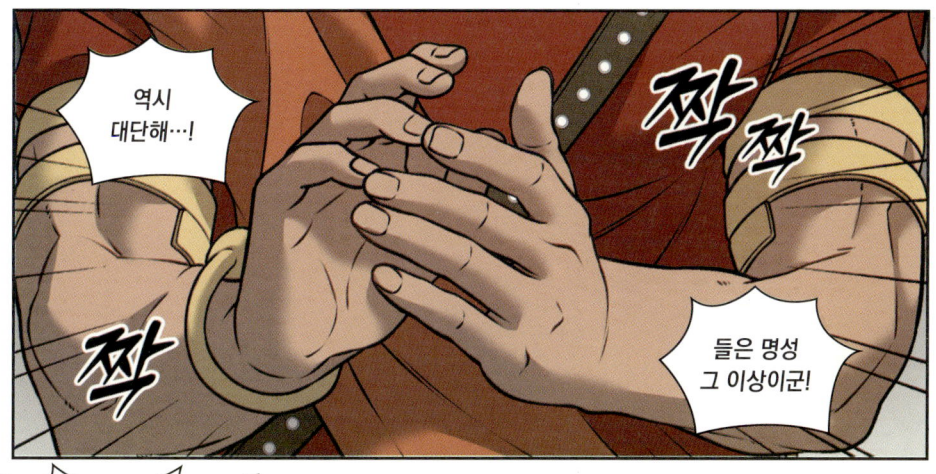

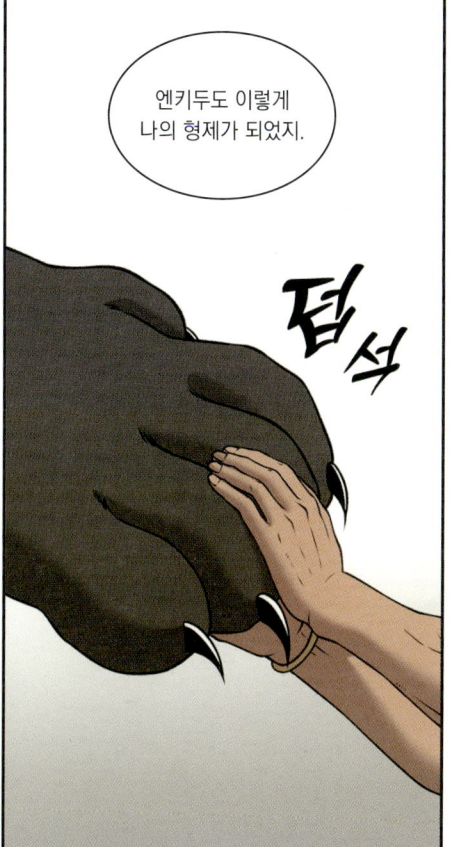

믿겠네.

마지막 광채 하나까지
길가메시의 손에 들어왔지.

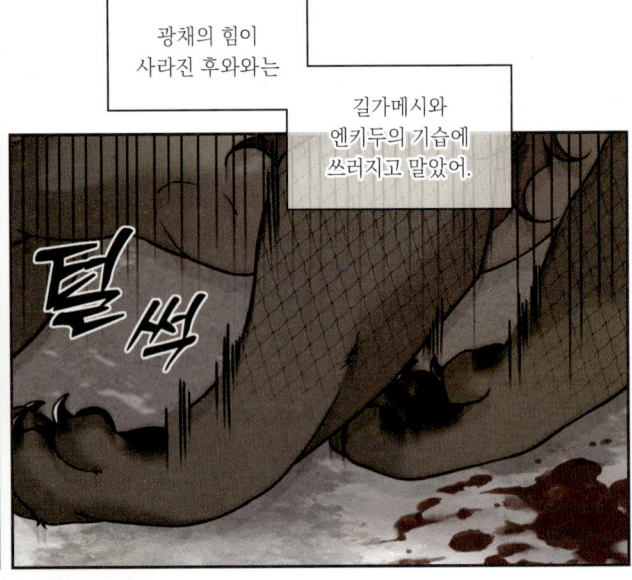

참고 문헌

단행본

김산해, 『최초의 신화 길가메쉬 서사시』, 휴머니스트, 2020.
김산해, 『최초의 역사 수메르』, 휴머니스트, 2021.
김산해, 『최초의 여신 인안나』, 휴머니스트, 2022.
김석희, 『초창기 문명의 서사시』, 이레, 2008.
김헌선 외 6인, 『중동신화여행』, 도서출판 아시아, 2018.
배철현, 『신들이 꽃피운 최초의 문명』, 웅진씽크빅, 2010.
배철현, 『신화 밖 신화여행, 메소포타미아』, 웅진씽크빅, 2010.
앤드류 조지, 공경희 옮김, 『길가메시 서사시』, 현대지성, 2021.
제임스 B. 프리처드, 주원근 외 5인 옮김, 『고대 근동 문학 선집』, 기독교문서선교회(CLC), 2016.
필립 스틸, 조윤정 옮김, 『메소포타미아』, 웅진씽크빅, 2013.
Rivkah Harris, 『Gender and Aging in Mesopotamia』, University of Oklahoma Press, 2000.

사이트

『The Electronic Text Corpus of Sumerian Literature』, https://etcsl.orinst.ox.ac.uk/
『The electronic Babylonian Library』, https://www.ebl.lmu.de/
『Academy for ancient texts』, https://www.ancienttexts.org/
『World History Encyclopedia』, https://www.worldhistory.org/
『Sumerian Shakespeare』, https://sumerianshakespeare.com/2701.html

MEMO

MEMO

홍끼의 메소포타미아 신화 3

초판 1쇄 인쇄 2025년 6월 24일
초판 1쇄 발행 2025년 7월 11일

지은이 홍끼
펴낸이 김선식

부사장 김은영
콘텐츠사업본부장 김길한
제품개발 정예현, 설민기 **마케팅** 김다운
IP제품팀 윤세미, 김다운, 설민기, 신효정, 정예현, 정지혜
콘텐트리1팀 이석원, 이다영, 손규석, 손준연, 신현정, 최은석, 현승원
콘텐트리2팀 명소혁, 이광연, 이성호, 이제령
편집관리팀 조세현, 김호주, 백설희
저작권팀 성민경, 윤제희, 이슬
재무관리팀 하미선, 김재경, 김주영, 오지수, 이슬기, 임혜정 **제작관리팀** 이소현, 김소영, 김진경, 이지우, 황인우
인사총무팀 강미숙, 김혜진, 이정환, 황종원 **물류관리팀** 김형기, 김선민, 김선진, 박재연, 양문현, 이민운, 이주희, 주정훈, 채원석
외부스태프 하나(본문조판)

펴낸곳 다산북스 **출판등록** 2005년 12월 23일 제313-2005-00277호
주소 경기도 파주시 회동길 490
전화 02-702-1724 **팩스** 02-703-2219 **이메일** dasanbooks@dasanbooks.com
홈페이지 www.dasan.group **블로그** blog.naver.com/dasan_books
종이 스마일몬스터 **출력·인쇄** 한국학술정보(주) **제본** 대원바인더리 **코팅·후가공** 제이오엘앤피

ISBN 979-11-306-6535-1(04810)
ISBN 979-11-306-6532-0(SET)

● 책값은 뒤표지에 있습니다.
● 파본은 구입하신 서점에서 교환해드립니다.
● 이 책은 저작권법에 의하여 보호를 받는 저작물이므로 무단 전재와 복제를 금합니다.

> 다산북스(DASANBOOKS)는 책에 관한 독자 여러분의 아이디어와 원고를 기쁜 마음으로 기다리고 있습니다.
> 출간을 원하는 분은 다산북스 홈페이지 '원고 투고' 항목에 출간 기획서와 원고 샘플 등을 보내주세요.
> 머뭇거리지 말고 문을 두드리세요.